Ursel Scheffler

das Tintenmonster

Mit Bildern von Erhard Dietl

Ravensburger Buchverlag

Bibliografische Information der Deutschen Nationalbibliothek:

Die Deutsche Nationalbibliothek verzeichnet diese Publikation
in der Deutschen Nationalbibliografie.
Detaillierte bibliografische Daten sind im Internet
über **http://dnb.d-nb.de** abrufbar.

9 10   12

Ravensburger Leserabe
© 1986 für den Text und © 1995 für die Illustrationen der Originalausgabe
© 2005 für die Schulausgabe
Ravensburger Buchverlag Otto Maier GmbH
Umschlagbild: Erhard Dietl
Umschlagkonzeption: Sabine Reddig
Printed in Germany
ISBN 978-3-473-38056-5

www.ravensburger.de
www.leserabe.de

Inhalt

Ätze, das Tintenmonster

Ätze hörte Stimmen. Seine Augen glänzten gierig. Er wälzte sich aus seinem Spinnwebenbett. Mit seinen haarigen, hageren Beinen kletterte er am Heizungsrohr entlang auf die Fensterbank. Keuchend starrte er durch die staubigen Fensterscheiben.

Das Klettern hatte ihn angestrengt. Er war ausgezehrt und schwach. Der Durst quälte ihn.

Draußen gingen Leute vorbei. Ganz normale Leute.

„Hiiiilfe! Ich brauche Schulkinder. Schuuuulkinder!", stöhnte er.

Seit Wochen wartete er in der Abstellkammer der Grimm-Schule, dass die Ferien zu Ende gingen. Und das hatte seinen Grund: Ätze war ein Monster.

Er stammte aus der Familie der blaublütigen kotzekligen Tintensauger.

Das ist eine Sorte, die vorwiegend in Schulen vorkommt. Manchmal trifft man sie auch bei alten Damen oder Dichtern. Dort eben, wo mit Tinte geschrieben wird. Denn ohne Tinte sind die Monster verloren. Sie brauchen sie so nötig wie ein Vampir Blut.

Während der Schulzeit war Ätze immer
fett und blaubackig.
Aber in den Ferien ging es ihm dreckig.
Er war kurz vor dem Verdorren!
Er hatte den Tod täglich vor seinen grünen
Glupschaugen. Und das war ganz
wörtlich zu nehmen, denn gegenüber auf
dem Schrank lag ein Totenkopf und
grinste ihn aus hohlen Augen an. Neben
ihm stand ein Skelett. Das brauchten die
Lehrer für den Biologieunterricht. Es war
Ätzes Lieblings-Klettergerüst.
Er liebte alles, was hässlich, grausig,
schaurig, scheußlich war.
„Kotzeklig" war sein Lieblingswort.
„Durst! Ich habe Durst!", jammerte Ätze
und hielt sich die wabbeligen Bauchfalten.
Am letzten Schultag hatte ihn der
Hausmeister aus Versehen in dieser
trockenen Kammer eingesperrt.

So hatte Ätze wochenlang keinen Tropfen Tinte geschluckt. Völlig ausgetrocknet war er und kein bisschen blau.

Seine Haut war aschfahl. Wenn er lief,
knisterte sie wie Butterbrotpapier.
Ächzend schob sich Ätze wieder in seine
Hängematte aus Spinnweben. Sie
schaukelte zwischen dem alten Globus
und dem Knochenmann hin und her.
Schließlich schlief er ein.
Er mochte eine Stunde geschlafen haben,
da klingelte die Schulglocke.
Wie elektrisiert sprang Ätze hoch.
„Schule! Schule! Sie kommen!", rief er,
und alle Müdigkeit war wie weggezaubert.
Er hüpfte aus seinem Spinnwebenbett
und kletterte über Tisch und Stuhl wieder
auf die Fensterbank.
Von dort aus beobachtete er aufgeregt,
wie die Kinder in die Schule strömten.
„Beeilt euch! Beeilt euch!", rief Ätze.
„Ich habe Durst. Tierischen Durst!
Mörderischen Durst!"

Ätze schluckte und schloss die Augen. Er dachte sehnsüchtig an die „kleinen blauen Plastikfläschchen". Damit meinte er die Tintenpatronen, die die Kinder in ihren Ranzen zur Schule trugen. Darin war der Lebenssaft, der seinem bleichen Körper wieder Farbe verleihen würde. Aber wo blieb der Hausmeister? Wo? Lange geschah gar nichts.

Endlich hörte er Schritte vor der Tür.

Es war der Hausmeister!

Er schloss die Tür auf und ließ zwei Schüler herein, die eine Landkarte holen sollten.

„Hier muss dringend sauber gemacht werden! , sagte der Hausmeister und fuhr mit seinem Finger auf der staubigen Tischkante entlang.

Ätze hätte vor Wut am liebsten in diesen Finger gebissen. Aber er tat es nicht.

Erstens stank der Finger nach Seife. Und
zweitens mochte er kein Blut! Es wurde
ihm regelrecht übel davon. Schließlich
war er kein Vampir.
Ätze hasste Sauberkeit wie die Pest.

„Wir sind fertig, Herr Baster!", sagten die
Schüler und gingen hinaus.
„Halt! Warte! Baster, alter Knaster!
Monstermörder! Lass mich bloß raus!",
rief Ätze mit letzter Kraft.
Aber der Hausmeister beachtete ihn nicht.
Er ging zur Tür und steckte den Schlüssel
ins Schloss.
Geistesgegenwärtig gab Ätze einer
Spiritusflasche einen Tritt:

Sie zerschellte auf dem Boden.

Baster, der die Tür schon fast zugemacht
hatte, blieb erschrocken stehen.

„Wie ist denn das passiert? Gibt's hier
Gespenster?", murmelte er.

Dann ging er zurück, um die Scherben
aufzuheben.

Da konnte Ätze entwischen.

Ätze geht auf Tintenjagd

Aus einem finsteren Winkel in der Nähe des Lehrerzimmers beobachtete Ätze, wie die Schüler in die Klassenräume liefen. War das ein Geschnatter und Geschrei! „Grässlich!", stöhnte Ätze. Er war am liebsten allein und freute sich, wenn keiner seine Ruhe störte. Es langte ihm schon, dass Igitte, diese aufdringliche Spinne, sich in letzter Zeit im Keller breit machte und ihre Netze überall dort aufhängte, wo er gerne saß! Hinauswerfen sollte man sie! Lieber heute als morgen. Aber erst musste er wieder zu Kräften kommen. Er brauchte neuen „Stoff" seinen Lebenssaft! Seine Zunge war ganz trocken. Seine Lippen klebten fest aufeinander. Aber gleich war es so weit.

Gleich!, tröstete er sich.

Endlich klingelte es. Die Lehrer gingen in die Klassen. Die Türen klappten zu. Dann war es schlagartig still auf dem Gang. Ätze krabbelte ungern in das Lehrerzimmer. Es war immer so kotzordentlich geputzt. Nicht einmal Butterbrotpapier oder Apfelbutzen auf dem Fußboden.

Kein Kaugummi unter den Tischplatten. Widerlich sauber. Aber das war ihm jetzt egal.

Durst ließ ihn den Ekel vor der Sauberkeit überwinden.

Ätze machte sich platt wie eine Wanze und schob sich auf dem Bauch durch den Türspalt durch. Er schleppte sich zum ersten Stuhl. Dort saß in den Pausen Frau Spitzer.

Ätze hasste sie, weil sie nach Shampoo und Parfüm stank. Er hasste alle Leute, die sich regelmäßig wuschen.

Das war ihre Mappe! Kein Zweifel. Ätze überwand seinen Abscheu und kletterte in die Mappe. Kein Füller. Keine Tinte. Nichts.

Enttäuscht und ermattet kam er wieder heraus. Weiter! Auf den Tisch! Er keuchte. Aber auch auf dem Tisch lag kein Füller.

Nur ein nach Veilchen duftender Kugel-
schreiber.
Ätze wurde übel. Das Lehrerzimmer
drehte sich vor seinen Augen.
Da entdeckte er einen Stapel Hefte! Eins
war aufgeschlagen.

Ätze kroch hin und schlabberte mit seiner glatten Schlangenzunge alles von der Heftseite, was rot war. Geschickt umging er die blaue Kugelschreiberschrift zwischen den roten Zeichen.

Rote Tinte war etwas Köstliches. Leider wurde sie immer seltener. Viele Lehrer korrigierten mit Kugelschreibern, diesen pfuiteufeligen Duftstinkern!

Ätze schleckte und schleckte. Als er mit der einen Seite fertig war, blätterte er um. Er schwitzte vor Aufregung.

Was kümmerte es ihn, dass er klebrige Tapser auf der Seite hinterließ. Weiter und weiter kroch er und leckte, rülpste, leckte. Auf der siebten Seite konnte er nicht mehr. Sein Bauch war voll.

Erschöpft legte er sich in den Kaktustopf, der mitten auf dem Tisch stand. Hinter der ausgebleichten Kreppmanschette war er fürs Erste vor neugierigen Lehrern sicher. Die Glocke schrillte. Sie kamen zurück!

Ätze im Kaktus

Ätze freute sich riesig, als Frau Spitzer die Veränderungen im Arbeitsheft entdeckte. Richtig wütend wurde sie: „Die ganzen Korrekturen aus dem letzten Schuljahr sind weg! Das muss einer mit dem Tintenkiller gewesen sein!", rief sie. Aber wozu? Die Zeugnisse sind längst fertig. Und lauter Dreckflecke hat das Ferkel auf die Seiten gemacht!"

Da erinnerte sich der Mathelehrer: „Dasselbe ist mir vor den Ferien passiert, und ich hätte schwören können, dass ich die Arbeiten korrigiert hatte! Und plötzlich war die rote Tinte weg! Wie weggeblasen! Was geht hier vor?"

Ätze leckte sich die Lippen. Er erinnerte sich noch gut an das wunderbare Festessen aus den Matheheften.

„Das sieht nach einem Schulgespenst aus!", sagte der Sportlehrer.

„Ach was, Schulgespenst! Seit es diese Tintenkiller gibt, ist alles möglich! Wenn ich den erwische, der das gemacht hat!", schimpfte Frau Spitzer.

„Tintenkiller! Tintenkiller! Ich bin Ätze, der Tintenkiller!", jubilierte der proppsatte Ätze im Kaktus.

Das war ein kotzekliger Name. Das musste er unbedingt Igitte erzählen, dieser eingebildeten Spinne, die sich im Keller fett machte. Die würde zittern vor Schreck!

Er hüpfte bei diesem Gedanken vor Vergnügen in die Höhe und jagte sich dabei einen Kaktusstachel ins Hinterteil.

„Was war denn das?", erkundigte sich Frau Spitzer, als es im Kaktustopf jämmerlich fiepte.

Ätze drückte sich platt auf die feuchte
Erde. Aber Frau Spitzer kam zum Glück
nicht dazu, dem Geräusch auf den Grund
zu gehen.
Es läutete zur nächsten Stunde. Alle
Lehrer mussten wieder in die Klassen
zum Unterricht.
Ätze schob sich stöhnend aus seinem
Kaktusversteck.

Mit Mühe gelang es ihm, sich den Stachel aus dem Hinterteil zu ziehen. Er rieb die verletzte Stelle und schimpfte: „An allem ist nur Igitte schuld. Na warte, wenn ich dich zu fassen kriege!"

Aber als Ätze in den Keller kam, war Igittes Netz leer.

Ist auch gut, dann muss ich mich nicht über sie ärgern, dachte Ätze. Vielleicht ist sie in den Ferien gestorben, und ich bin sie los.

Er beschloss, einen Verdauungsschlaf im Tintenfass der alten Schulbank zu machen. Das war sein Lieblingsplatz. Feucht und finster. Ein ideales Monsternest. Dort pflegte er auch seine Tintenvorräte für den Winter zu sammeln.

Jetzt war das Fass leer. Ätze ließ sich hineingleiten. Er füllte es fast aus, wenn er sich ganz zusammenkuschelte.

Ahh, rundum satt! Was für ein herrliches
Gefühl nach diesen Hungerwochen! Was
machte da schon ein Kaktusstich.

Ätze, der Schocker

Als Ätze erwachte, hörte er Eimerklappern.
Das waren die Putzfrauen!
Putzfrauen waren die menschlichen
Wesen, die Ätze am meisten hasste.
Nun, er wollte sie mal wieder tüchtig
erschrecken, damit sie so schnell wie
möglich den Keller verließen.
Er fühlte sich ausgeruht und kräftig, so
richtig kotzeklig wohl. Das ging ihm
meistens so, wenn er rote Tinte gesoffen
hatte. Da geriet er regelmäßig in einen
Rausch, und er dachte: „Ich bin das
größte, hässlichste, ekligste, schrecklichste
Monster auf der ganzen Welt, juhu!"
Ätze kroch aus seinem Schlupfwinkel. Er
machte einige Kniebeugen. Die Gelenke
knackten. Die Kaktusverletzung schmerzte.
Er war in Schockerstimmung!

Er spann einen Faden und ließ sich von der alten Schulbank herunter. Das Seil ließ er hängen.

Für alle Fälle.

Dann flitzte er hinaus auf den Kellerflur. Dort standen die Putzfrauen. Ätze kletterte die Ziegelwand hoch. Dann krabbelte er kopfüber an der Decke entlang bis zur Lampe, unter der die drei Frauen standen. Schnell spann er einen Faden und ließ sich daran hinunter.

„Die Ferien waren ein Reinfall", klagte Frau Fegebein. „Nichts als Regen."

„Unsere Ferien waren herrlich!", berichtete Frau Purtz.

Gerade in diesem Augenblick landete Ätze auf ihrem Dutt. Er krabbelte über ihren Kopf bis vor an die Stirn.

Frau Fegebeins Augen wurden vor Schreck so groß wie Suppentassen.

„Äääääääh!", schrie sie entsetzt, ließ den Schrubber fallen und rannte in panischer Angst davon.

Jetzt entdeckte auch Frau Weinzirl den Stirnschmuck ihrer Kollegin, schrie noch viel lauter und lief davon, als sei der Teufel hinter ihr her.

Ein wenig ratlos blieb Frau Purtz zurück, griff sich nachdenklich an die Stirn und spürte Ätzes haarigen Leib. Mit weit aufgerissenen Augen starrte sie auf das eklige Scheusal zwischen ihren Fingern. Ein Aufschrei ließ das Schulhaus erzittern wie bei einem Erdbeben.

Frau Purtz schleuderte Ätze auf ihren Putzlappen und raste die Treppe hoch, als hätte sie Dynamit in den Socken.

„Nie mehr gehe ich in diesen Keller!", schrie sie. „Nie mehr!"

Ätze saß in der Ecke auf dem stinkenden Putzlumpen und kicherte zufrieden. So war's ihm recht. So machte das Leben Spaß!

Ätze und Igitte

An diesem Tag ließ sich keiner mehr im Keller blicken. In Ruhe inspizierte Ätze alle Winkel. Es war alles beim Alten geblieben: Die Ecken waren feucht und schmutzig, das Mauerwerk war rissig, der Putz blätterte von der Wand, die Schimmelpilze blühten. Ätze fühlte sich mal wieder kotzeklig wohl.

Am Abend zog er sich an seinem Kletterseil hoch bis zum Tintenfass. Er pupste, rülpste und pfiff.

Als er sich so richtig mit Schwefelduft eingenebelt hatte, vernahm er plötzlich ein Kichern aus der Ecke!

Er wusste sofort, von wem es stammte!

„Bist du wieder da? Ich hab schon gehofft, du bist gestorben, und ich bin dich endlich los!", krächzte Ätze ärgerlich.

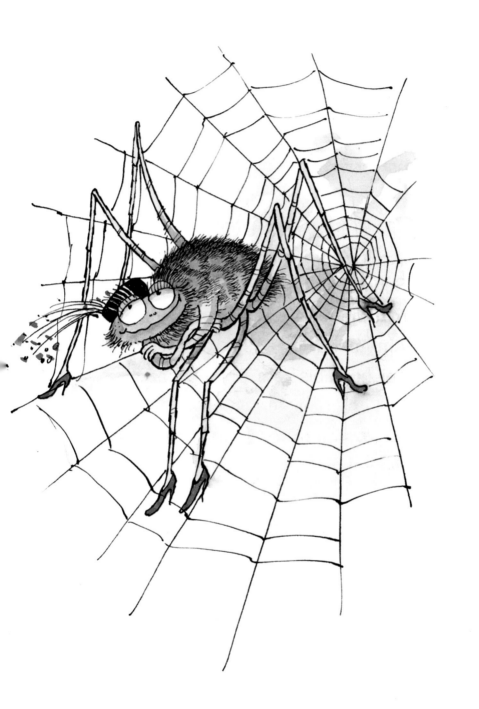

„Warum bist du bloß immer so unhöflich?",
erkundigte sich die Spinne.

„Weil mir höfliche Leute ein Greuel sind.
Ich finde sie so schrecklich wie Seifen-
pulver oder Zahnpasta. Noch genauer?"

„Nein, danke", sagte Igitte und lachte.

„Das genügt, ich kenne deine Beleidi-
gungen. Sie langweilen mich."

„Mag sein", sagte Ätze. „Aber du kennst
mich nicht. Wetten, dass du nicht weißt,
wie sie mich wirklich nennen?"

„Interessiert mich nicht", entgegnete
Igitte schnippisch.

„Trotzdem sollst du es erfahren: Sie
nennen mich Ätze, den Tintenkiller!"
sagte Ätze stolz und richtete sich neben
seinem Tintenfass zu voller Höhe auf.

„Na und?", sagte Igitte gelangweilt und
spann weiter an ihrem Netz. „Ein Name,
was ist schon ein Name?"

„Ich wusste ja, dass man sich mit dir nicht unterhalten kann, blöde Schnepfe!", knurrte Ätze verärgert.

Igitte gab keine Antwort. Sie spann nur leise vor sich hin und summte dabei ein Lied.

Das ärgerte Ätze. Er wurde ganz blau im Gesicht. Dann fluchte er und knallte den Tintenfassdeckel zu. Mit der würde er nicht mehr reden. Mit der nicht!

Ätze treibt Unfug

Ein paar Tage saß Ätze in seinem Schmoll-
winkel.

Aber dann begann er sich zu langweilen,
und Hunger hatte er auch.

Ohne Igitte auch nur eines Blickes zu
würdigen, verließ er die Kellerwohnung.

Er spazierte durch das Schulhaus. Es war
jetzt nicht mehr schwer, Tinte zu finden. Er
ging in der Pause in die Klassenzimmer.

Dort gab es so viel Tinte, wie er haben
wollte.

Manchmal schleppte er auch ganze
Patronen weg.

Die verstaute er bei seinem Wintervorrat
im Keller.

Die Kinder wunderten sich, wo die Patronen geblieben waren.

Einmal gab es eine Schlägerei, weil Achim

den Axel verdächtigte, er habe seine
Patrone geklaut.

Im Laufe des Schuljahres wurde Ätze
immer übermütiger. Es machte ihm Spaß,
Kinder zu erschrecken.
Ätze war ungeheuer geschickt im Auf-
tauchen und Verschwinden. So kam es,

dass viele Leute nachher nicht wussten,
ob sie ihn tatsächlich gesehen hatten.

Er setzte sich in Federmäppchen und auf
Pausenbrote. Er lauerte im Umkleideraum
der Turnhalle und grinste aus dem
Schulklo.

Wenn die Kinder davon erzählten, sagten
die Lehrer meist: „Erzählt doch keine
Märchen. Monster gibt es nicht!"

Aber es gab auch Kinder, die Ätze den
Kampf ansagten.

Alex zum Beispiel.

Als er Ätze in seinem Turnzeug entdeckte,
schmiss er mit seinem Fußballschuh nach
ihm. Um ein Haar hätte er Ätze am Boden
zerquetscht.

Mit Glück und einem gebrochenen Bein
kam Ätze davon. Es war das erste Mal,
dass Ätze Igittes Anwesenheit im Keller
nicht als störend empfand.

Er spuckte zwar Gift und Galle und
stöhnte. Aber er ließ es zu, dass sie ihm
das gebrochene Bein mit einem Streich-
holz schiente.
Ein paar Wochen humpelte Ätze und
verließ den Keller kaum. Er ernährte sich
von seinen Tintenvorräten und ließ sich

von Igitte berichten, dass es draußen
feucht und kalt wurde.
Der Winter kam.

Ende November überfiel Ätze ein bleierner
Winterschlaf.
Igitte sah von Zeit zu Zeit nach ihm und
dachte: „Na endlich! So muss ich mich mit
diesem Giftbrocken nicht dauernd
herumstreiten!"

Ätzes großer Auftritt

Es wurde Dezember. Die Kinder freuten sich schon auf die Weihnachtsferien.
Am letzten Schultag gab es eine Theatervorstellung in der Turnhalle. Jede Klasse führte eine kleine Szene auf. Die Schüler aus der 2. Klasse hatten sich verkleidet und spielten „alte Schule". Dazu brauchten sie eine altmodische Schulbank.
War es ein Glück oder Unglück, dass sie gerade Ätzes Schulbank erwischten?
Als Ätze erwachte, dachte er, er träume.
Er rieb sich die Augen, sah aus seinem Tintenfass und bemerkte, dass er plötzlich auf der Bühne in der hell erleuchteten Turnhalle war.
Unten saßen Hunderte von Leuten und starrten zu ihm herauf.

Zum ersten Mal in seinem Leben hatte Ätze Angst!

War es die Helligkeit oder die Sauberkeit, die ihn plötzlich umgab? Diese schrecklichen frisch gewaschenen Gesichter?

Er starrte auf das herausgeputzte kleine Mädchen im Rüschenkleid, das gerade sein Gedicht aufsagte:

„Ich bin die kleine Jule

und geh so gern zur Schule..."

Da wurde Ätze schlecht. Er musste sich übergeben. Er lehnte sich aus seinem Tintenfass. Tintentropfen spritzten auf das rosa Rüschenkleid.

Das Mädchen schrie auf.

Panik erfasste Ätze. Er ergriff die Flucht.

Das Licht blendete ihn.

In seiner Not kletterte er an den blonden Haaren des Mädchens hoch. Ein Aufschrei erklang.

Die Lehrerin sprang herbei und schlug
Jule aufs Haar, um sie von Ätze zu
befreien.
Jule heulte, weil sie nicht wusste, wer mit
Tinte gespritzt hatte und warum sie nun
geschlagen wurde.
Jules Vater, der neben der Bühne stand,

beschimpfte die Lehrerin, weil er nicht
wusste, warum sie nach Jule geschlagen
hatte.

Der Rektor packte den Vater am Kragen
und brüllte: „Was fällt Ihnen ein!"
Es kam zu einem Tumult.

„Das Vieh! Das schreckliche Tier! Es kam
aus dem Tintenfass!", schrie die Lehrerin.

Der Rektor sah nur noch das haarige
Monster, das in den Falten des Bühnen-
vorhangs verschwand.

Auf dem Fußboden hinterließ es lauter
blaue Tropfen.

Der Vorfall wurde nie ganz aufgeklärt.

Der Schulrat, der bei der Vorführung
dabei gewesen war, ließ sich den Keller
zeigen.

„Kein Wunder, dass es hier Ungeziefer
gibt!", sagte er kopfschüttelnd. „Hier muss
etwas geschehen!"

„Wir haben schon seit Jahren die Renovierung beantragt", beteuerte der Rektor.

„Ich werde mich darum kümmern", versprach der Schulrat.

Ätze ergreift die Flucht

Eines Morgens im Februar stand der Hausmeister im Keller und sagte zu einigen Männern in weißen Overalls: „Dieser Raum sieht besonders schlimm aus! Die Risse müssen verspachtelt werden. Stellenweise müssen wir neu verputzen. Die Fenster werden gestrichen. Den Boden müssen Sie mit Betonlack versiegeln! Außerdem sollten wir etwas gegen das Ungeziefer tun!"
„Wird gemacht! Sobald wir mit den oberen Räumen fertig sind, fangen wir hier an!", sagte der Malermeister.
Ätze bekam eine Gänsehaut. Die Borsten an seinen Beinen sträubten sich. Risse verputzen? Mit Farbe streichen? Etwas gegen Ungeziefer tun?
Das war das Ende!

Wo sollte er hin?

In einen anderen Raum ziehen?

Unmöglich! Überall im Schulhaus stank
es nach Farbe und Terpentin. Selbst in

der alten Abstellkammer wurden Wände
und Fenster gestrichen!

Immer kleiner wurde der Bereich, in dem
sich Ätze aufhalten konnte, ohne dass
ihm vor Sauberkeit schlecht wurde.

Als Igitte nach einem kurzen Ausflug in
den Keller zurückkam, saß Ätze ächzend
in seinem Tintenfass. Er nahm ein Tinten-
vollbad. Danach fühlte er sich meistens
besser. Aber diesmal nützte es nichts.

„Wie geht's dir?", erkundigte sich Igitte.

„Beschissen", krächzte Ätze und
verschmierte sein Gesicht mit Tinte.

„Du sollst dich nicht immer so ungepflegt
ausdrücken!"

„Bäääh", sagte Ätze bloß. Er hatte zum
ersten Mal in seinem Leben keine Lust zu
streiten.

„Ich hau ab!", sagte Igitte und rollte ihre
Spinnwebdecken ein.

„Und wohin?", erkundigte sich Ätze. Er
schielte mit seinen Glupschaugen, die im
Dunkeln grün leuchteten, in ihre Ecke.
Er konnte sie nicht ausstehen. Aber wohin
sie ging, wollte er wissen.

„Nach nebenan!", sagte Igitte leichthin.
„Was ist nebenan?", erkundigte sich Ätze,

der sich noch nie für die Welt außerhalb des Schulhauses interessiert hatte.

„Ein alter muffiger Kasten. Dreihundert Jahre alt. Staubig und modrig. Alte Akten und so. Meine Geschwister wohnen schon lange da."

„Soso", sagte Ätze. „Na ja, wenn ich dich nicht so blöd fände, käme ich vielleicht mit!"

Igitte warf ihm einen Blick zu, der Bände sprach, und meinte mit einem spinnefeinen Seufzer: „Na, dann tschüss, alter Kotzbrocken!" Sie verschwand durchs Kellerfenster.

Ätze warf ihr einen überraschten Blick nach und dachte: „Kotzekliger, als ich gedacht habe, das kleine Biest!"

Drei Tage hielt es Ätze noch aus. Dann ertappte er sich dabei, dass er Igitte vermisste. Keiner mehr, über den man sich ärgern konnte! Außerdem waren die Maler schon im Treppenhaus.

Ätze wusste: Seine Tage in der Moderluft des Schulkellers waren gezählt.

Er rollte seine Hängematte zusammen, nahm soviel Tintenpatronen mit, wie er tragen konnte, und machte sich auf den Weg in das alte Gebäude nebenan.

„FINANZAMT" stand über der Tür. Ob dort wirklich alles so kotzeklig staubig und muffig war, wie es Igitte geschildert hatte? Na, wenn nicht, dann konnte sie was erleben …

Ursel Scheffler schreibt, seit sie sechs Jahre alt ist, und seit 1986 auch über Ätze. Sie traf ihn nach einem Elternabend ihrer jüngsten Tochter auf dem Schulhausflur. Er war völlig blau und bat sie, seine haarsträubenden Memoiren aufzuschreiben.

So entstanden die Bücher „Ätze, das Tintenmonster", „Ätze, das Hosentaschenmonster", „Ätze, das Zirkusmonster", „Ätze, das Piratenmonster", „Ätze, das Gruselmonster", „Ätze, das Rittermonster", „Ätze, das Weltraummonster", „Ätze, das Computermonster" sowie „Ätze, das Fußballmonster".

Erhard Dietl ist 1953 in Regensburg geboren. Er hat an der Akademie der Bildenden Künste in München studiert und ist nach dem Studium gleich in München geblieben. Heute lebt er dort als freier Grafiker, zeichnet, malt und schreibt auch selber, hauptsächlich für Kinder. Für den „Leseraben" hat Erhard Dietl unter anderem die „Ätze"-Bände illustriert sowie „Willi Vampir in der Schule" und „Ein Monster im Klassenzimmer".

Leserätsel
mit dem Leseraben

Super, du hast das ganze Buch geschafft!
Hast du die Geschichte ganz genau gelesen?
Der Leserabe hat sich ein paar spannende
Rätsel für echte Lese-Detektive ausgedacht.
Mal sehen, ob du die Fragen beantworten
kannst. Wenn nicht, lies einfach noch mal
auf den Seiten nach. Wenn du die richtigen
Antwortbuchstaben in die Kästchen auf Seite 58
eingesetzt hast, bekommst du das Lösungswort.

Fragen zur Geschichte

1. Warum wartet Ätze so sehnsüchtig darauf,
dass die Ferien zu Ende gehen? (Seite 6)
 H: Weil er sich von Schulkindern ernährt.
 S : Weil er sich von Tinte ernährt.

2. Wie schafft es Ätze, aus der Abstellkammer
zu entkommen? (Seite 12/13)
 G: Er beißt den Hausmeister in den Finger
und entwischt.
 P : Er wirft eine Spititusflasche auf den Boden
und entwischt..

3. Wer hat laut Frau Spitzer die Korrekturen aus dem Arbeitsheft verschwinden lassen? (Seite 22)

I : Einer ihrer Schüler, der sich einen Streich erlaubt hat.

Z : Ein Schulgespenst, das sein Unwesen treibt.

4. Warum ärgert sich Ätze über Igitte? (Seite 34/35)

N : Weil sie ihn nicht ernst nimmt.

K : Weil sie so unhöflich ist.

5. Wie gerät Ätze in die Theateraufführung? (Seite 43)

D : Er versteckt sich in Jules Rüschenkleid.

N : Er hält in einem Tintenfass Winterschlaf, das für die Aufführung benötigt wird.

6. Warum beschimpft Jules Vater die Lehrerin? (Seite 46/47)

O : Weil sie Ätze entkommen lässt.

E : Weil sie Jule scheinbar grundlos schlägt.

Lösungswort:

1	2	3	4	5	6

Rabenpost

Super, alles richtig gemacht! Jetzt wird es Zeit für die RABENPOST.
Schicke dem LESERABEN einfach eine Karte mit dem richtigen Lösungswort. Oder schreib eine E-Mail.
Wir verlosen jeden Monat 10 Buchpakete unter den Einsendern!

An den LESERABEN
RABENPOST
Postfach 20 07
88190 Ravensburg
Deutschland

leserabe@ravensburger.de
Besuche mich doch auf meiner Webseite:
www.leserabe.de

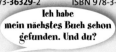

Ravensburger Bücher

Klassische Sagen für Erstleser!

Manfred Mai/Betina Gotzen-Beek

Die Abenteuer des Herakles

Herakles ist der stärkste Mann der Welt und soll Herrscher über ein mächtiges Reich werden.

ISBN 978-3-473-**36398**-8

Manfred Mai/Betina Gotzen-Beek

Das Labyrinth des Minotaurus

Tief im Innern eines Labyrinths haust das Ungeheuer Minotaurus, halb Mensch, halb Stier.

ISBN 978-3-473-**36401**-5

Manfred Mai/Betina Gotzen-Beek

Das trojanische Pferd

Zehn Jahre dauert die Belagerung Trojas bereits, als Odysseus eine List ersinnt: Ein hölzernes Pferd wird gebaut und den Trojanern überreicht ...

ISBN 978-3-473-**36399**-5

Manfred Mai/Betina Gotzen-Beek

Die Irrfahrten des Odysseus

Von den Göttern verflucht, treibt Odysseus ziellos auf dem Meer, ohne den Weg nach Hause zu finden, und muss dabei zahlreiche Abenteuer bestehen.

ISBN 978-3-473-**36400**-8

Ravensburger Materialien zur Unterrichtspraxis

- handlungsbezogen
- produktionsorientiert
- fächerverbindend

Ravensburger Materialien zur Unterrichtspraxis – früher unter dem Namen Ravensburger Arbeitshilfen – werden seit 1987 zu ausgewählten Kinder- und Jugendbüchern des Verlages hergestellt. Das Angebot umfasst derzeit über fünfzig Titel und wird ständig erweitert.

Ravensburger Materialien zur Unterrichtspraxis sind eine wertvolle Hilfe zur Unterrichtsvorbereitung – sowohl im Fach Deutsch als auch in benachbarten Fächern wie Religion, Ethik, Geschichte oder Sozialkunde. Nutzen Sie die vielen Pluspunkte der Ravensburger Materialien zur Unterrichtspraxis:

- von LehrerInnen für LehrerInnen entwickelt
- im Unterricht erprobt
- orientiert an den Lehrplänen der Länder
- mit Kopiervorlagen für Arbeitsblätter
- interessante Begleitmaterialien wie Lesehefte oder Spielpläne

Ravensburger Materialien zur Unterrichtspraxis tragen durch einen vielseitig-kreativen Umgang mit Büchern dazu bei, die Lust am Lesen frühzeitig anzuregen, zu fördern und zu verstärken.

Nutzen Sie die Möglichkeit des kostenlosen Downloads unter unserer Internetadresse **www.ravensburger.de** oder bestellen Sie die Materialien über den Buchhandel zum Preis von 4,95 €.

Ravensburger Buchverlag
Pädagogische Arbeitsstelle
Postfach 1860

88188 Ravensburg